SABER DIBUJAR

LAS TÉCNICAS DE BASE

SABER DIBUJAR

LAS TÉCNICAS DE BASE

PETER GRAY

Título de la edición original:
The Practical Guide to Drawing Techniques

Depósito Legal: B. 23.572-2013

ISBN: 978-84-255-2063-1

Segunda edición

Impreso en España
T. G. Soler, S. A.
Enric Morera, 15
08950 Esplugues de Llobregat (Barcelona)

ÍNDICE

INTRODUCCIÓN

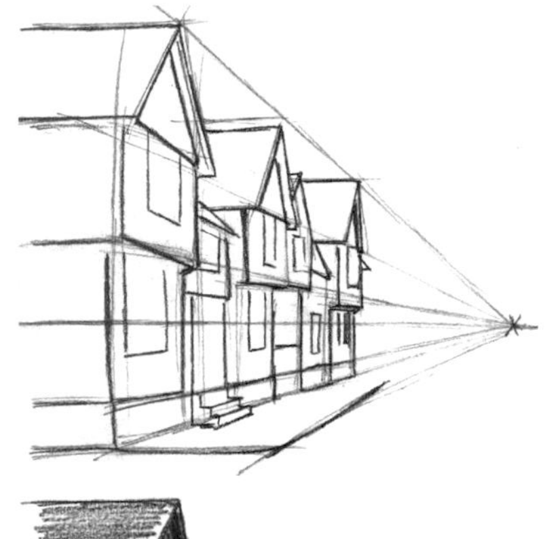

Para el artista principiante o en proceso de formación, la deslumbrante variedad de materiales que pueden encontrarse en una tienda de arte puede resultar apabullante. Existe la concepción errónea de que gastarse mucho dinero ayuda al desarrollo artístico, cuando, de hecho, es más bien lo contrario. Los materiales caros solo inhiben la libertad de cometer errores y los errores son esenciales en el proceso de aprendizaje y desarrollo de una mirada creativa.

Con solo unos cuantos utensilios y materiales básicos, se puede probar una amplia gama de técnicas y efectos. Este libro tiene el propósito de introducir diferentes formas de pensar en los materiales comunes, para que te familiarices con ellos, observes sus propiedades y ganes destreza con ellos.

Para los lectores que todavía no tienen mucha confianza en sus habilidades pictóricas hay algunos recordatorios sobre los principios básicos del dibujo. Los debates sobre las líneas, los tonos, la perspectiva y demás elementos incluirán consejos útiles y atajos que pueden ser útiles incluso para los artistas más aventajados.

Unas sencillas normas sobre perspectiva aportan orden a estructuras y paisajes complicados.

Aprende los principios de la aplicación de tonos siguiendo unos pasos muy fáciles.

Crea efectos pictóricos a partir de materiales comunes de dibujo.

La mejor manera para enseñar es mediante la demostración. En esta obra hay ejemplos de muchas técnicas típicas (aunque algunas no son muy comunes) que se muestran divididas en sencillos pasos. Al seguir los ejercicios, intenta resistirte a la tentación de copiar sencillamente los ejemplos. Intenta aplicar los pasos a temas de tu propia creación para dar lugar a nuevos dibujos. Piensa que las técnicas de este libro son un punto de inicio y a partir de ahí tendrás que experimentar, profundizar en los métodos y desarrollar técnicas propias.

Si bien la técnica es solo un elemento en la creación artística, entender los métodos de dibujo te enriquecerá al analizar y apreciar el trabajo de otros artistas y también al desarrollar un lenguaje pictórico propio.

Consigue un acabado profesional con los utensilios y materiales esenciales.

Sencillas técnicas de dibujo con tinta pueden adaptarse en las líneas, en las sombras y en el diseño.

EL HUMILDE LÁPIZ

El lápiz es la herramienta por excelencia del artista por muchas razones. Sean cuales sean los materiales que se utilicen y las técnicas que se empleen, los lápices siempre están a mano. Son baratos y versátiles, sensibles y robustos, perfectos para hacer esbozos, bosquejos y para trabajar en combinación con otros muchos materiales.

Vale la pena indagar un poco sobre la calidad de los lápices para artistas. Están clasificados de la H (duro) a la B (negro) con un prefijo numérico que indica el grado de dureza o negrura. Para empezar, se pueden adquirir lápices H, HB, 2B y 6B.

La goma es otra parte vital del material. Hay que borrar los errores y las líneas de borrador que se hacen, así que formarán una parte importante del proceso de dibujo. Existen muchas variedades en el mercado, pero en esencia todas sirven para lo mismo.

Para realizar esbozos con lápiz, un bloc de dibujo barato de espirales de medida A4 o A3 (mejor) ya será suficiente, aunque cualquier papel servirá. Para realizar técnicas más avanzadas, el grado y el tipo de papel cobrará mayor importancia, aunque no tiene por qué ser caro si se compra por hojas.

Sencillamente cambiando el ángulo con el que se sostiene el lápiz, la amplitud y la suavidad de la línea cambiará por completo. Estas marcas se han hecho todas con el mismo lápiz blando (8B). las tres primeras con una presión uniforme y la última con mucha menos presión.

Mientras que sostener el lápiz al escribir permite controlar pequeños movimientos con los dedos, para dibujar, la mayoría de los movimientos se realizan con la muñeca, el codo y el hombro. Diferentes formas de tomar el lápiz permitirán realizar una amplia gama de trazos siempre y cuando se cuente con ese elemento tan importante que es la confianza.

Esta manera de tomar el lápiz sirve para todo en general y es especialmente útil para trazar un esbozo o para dibujar largas curvas. El lápiz se sostiene sin apretar más o menos por la mitad, permitiendo así una presión variable.

Con el extremo sin afilar del lápiz dentro de la palma de la mano, esta forma de tomarlo es apropiada para realizar marcas angulares atrevidas y un sombreado fuerte.

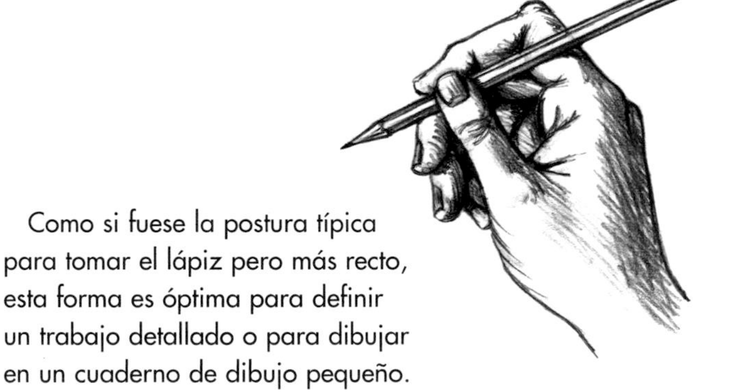

Como si fuese la postura típica para tomar el lápiz pero más recto, esta forma es óptima para definir un trabajo detallado o para dibujar en un cuaderno de dibujo pequeño.

Sosteniendo el lápiz con la punta de los dedos y el pulgar, el lápiz puede producir líneas y sombras muy sutiles.

Afilar

Un cuchillo afilado o un escalpelo es esencial para darle la forma correcta a la punta. Lo ideal es que se afilen los lápices de manera que revelen gran parte de la mina, al contrario que la punta uniforme que dejan los sacapuntas. Hay que mantener la hoja del cuchillo formando un ángulo agudo con el lápiz y siempre afilar apartado del cuerpo.

UN TRUCO ÚTIL

El cuchillo también se puede utilizar para dar forma a las esquinas toscas de una goma y producir un borde que borre mejor.

TÉCNICAS BÁSICAS PARA HACER BOCETOS

Para aquellos lectores que tengan experiencia reciente con la pintura, estas técnicas ya resultarán más que sabidas, pero nunca está de más recordar los principios básicos.

A menos que se cuente con una gran confianza en las habilidades, dibujar resultará un proceso en el hay que seguir varios pasos. En esencia, requiere trabajar tanto con formas grandes como con detalles minuciosos, de manera que dibujar unas líneas a modo de boceto y después ir definiendo las formas gracias a la medición, la verificación y la observación de los detalles resulta un buen método.

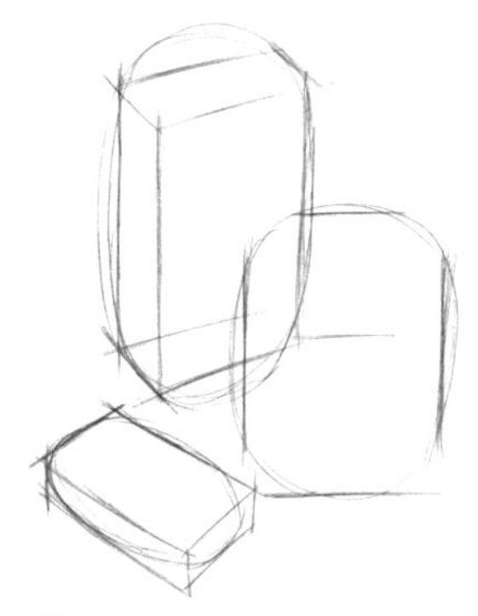

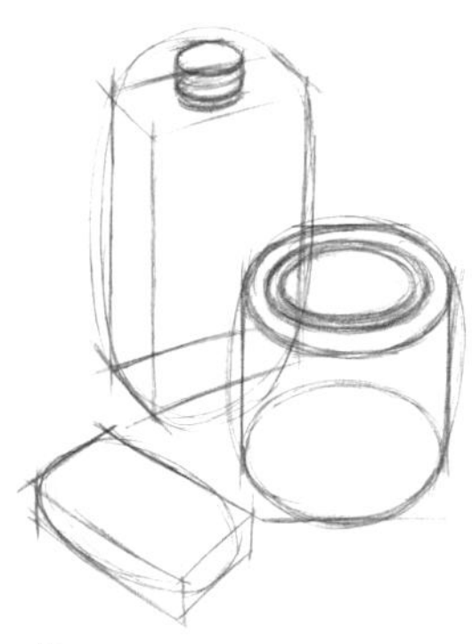

Paso 1

Utilizando un lápiz duro (H o HB), dibuja a grandes rasgos el volumen general de los objetos. Asegúrate de que cada objeto tenga aproximadamente el tamaño correcto en relación con los demás. Intenta llenar el papel porque si los dibujos se hacen demasiado pequeños existe la tendencia a que queden rígidos ya desde el principio.

Paso 2

Este paso es crucial para elaborar un buen dibujo. Aquí hay que definir las longitudes esenciales y los ángulos y las líneas que le aportarán volumen al resto del dibujo (véase la siguiente página).

Paso 3

Habiendo medido la altura y el ancho de la elipsis grande, ya es mucho más sencillo añadir una suave curva en las líneas ya dibujadas. Dibujar una gran elipsis para la base de la lata me ayudó a realizar la curva y también a comprobar que la lata queda bien delante de la petaca.

Paso 4

Un lápiz blando (2B) bien afilado es muy útil en esta fase para reforzar y finalizar las líneas correctas.

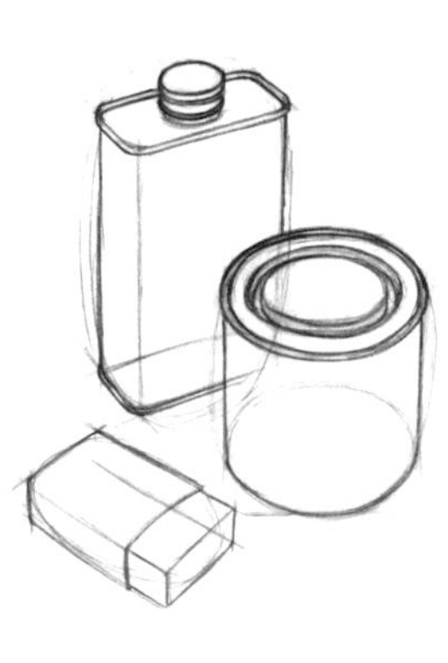

Paso 5

Borrar con la goma todas las marcas, errores y líneas que no se quieran mantener. Utilizar la esquina de la goma para borrar más minuciosamente. Esta es la forma más sencilla de dibujar líneas, mostrando solo el contorno y los detalles más relevantes.

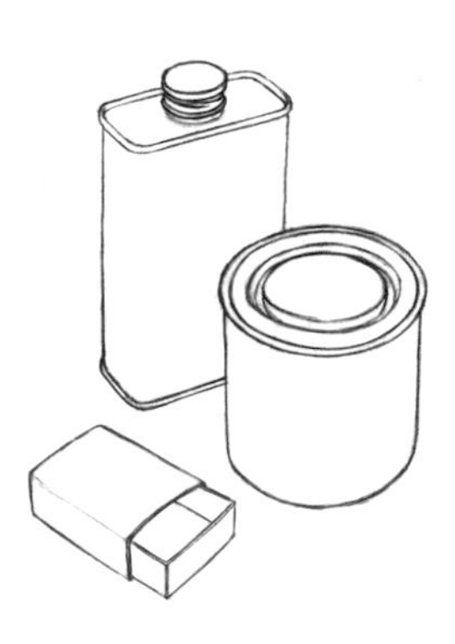

DETERMINAR LOS ÁNGULOS

Las líneas verticales deberían dibujarse estrictamente en vertical, pero hay otros ángulos que pueden comprobarse con la ayuda del lápiz. Aguántalo en vertical unos 30 cm en frente de los ojos y después balancéalo hacia la izquierda o la derecha hasta que se alinee con un objeto. Sosteniéndolo en este ángulo, mueve el lápiz con cuidado hasta la zona de tu dibujo.

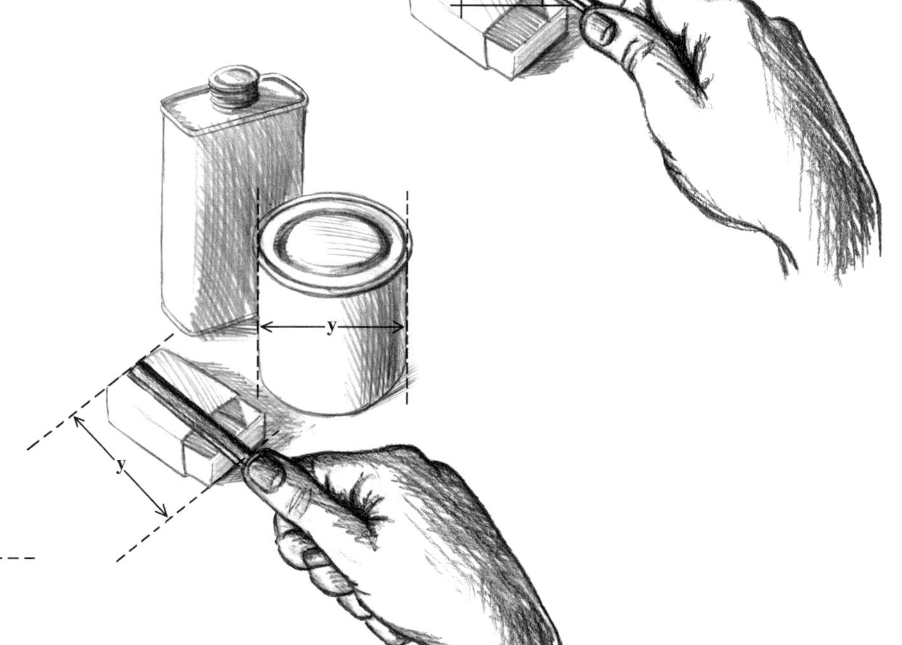

DETERMINAR LAS PROPORCIONES (TOMAR LA MEDIDA)

El lápiz también puede utilizarse como una regla improvisada. Mide la longitud del objeto tal y como aparece a lo largo del lápiz y marca la longitud con el dedo pulgar. Esta medición puede utilizarse también para comprobar la longitud relativa de otras líneas. En este dibujo se puede ver que, desde mi ángulo de visión, la longitud total de la caja de cerillas tiene aproximadamente el mismo ancho que la lata redonda. La profundidad de la elipsis grande es la misma que la distancia que hay desde la elipsis hasta la esquina de la lata que tiene por encima. Todas las dimensiones deberán contrastarse entre sí.

LÍNEAS CON TEXTURA

Las líneas de diferente peso y calidad, incluso si se trata de un esbozo, pueden ayudarnos a describir los objetos transmitiendo propiedades de su textura además de las medidas. La sugerencia de la textura es sutil, pero muy efectiva y es un modo de expresión en el dibujo.

Para dibujar una naturaleza muerta con textura, basta con reunir unos cuantos objetos que tengan diferentes superficies y formas. Yo he elegido mezclar objetos orgánicos y también realizados por el hombre dentro de una misma temática. Sean cuales sean los objetos que decidas dibujar, no hay reglas claras sobre cómo describirlos. Lo importante es mantener diferentes texturas para apreciar bien la diferencia.

Paso 1

Para conseguir una composición agradable, he dispuesto mi naturaleza muerta en forma de rombo así que he dibujado primero esa forma para ayudarme a colocar después las formas de los objetos. En esta fase, ni siquiera he puesto las hojas de las rosas, sólo los objetos principales. Realiza este primer esbozo sin presionar demasiado, dibujando primero con el lápiz más duro que tengas.

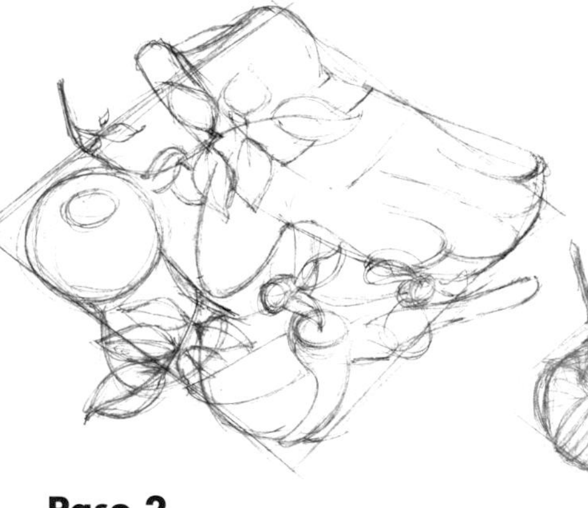

Paso 2

A continuación he trabajado en la forma de los objetos, comprobando constantemente su tamaño y la colocación entre sí. He añadido la forma aproximada de las hojas y las flores.

Paso 3

Una vez ya satisfecho con las formas en general, me fue bastante sencillo redefinir los detalles. Presté especial atención a la dirección de la cuerda enrollada en forma de ovillo. Recuerda que todo este trabajo preliminar se tiene que hacer sin presionar en exceso.

Paso 4

En esta fase, limpié el dibujo lo máximo posible, borrando con cuidado cualquier línea o marca inapropiada. También elaboré más algunos detalles de la cuerda, de las tijeras podadoras y de las flores.

Paso 6

Después de volver a afilar el lápiz, empecé a centrarme en los detalles. Empecé a dibujar el borde serrado tan distintivo del follaje de las rosas sin necesidad de observar cada hoja. Quería transmitir las distintas texturas del guante y las líneas del dibujo. Aquí también trabajé el trenzado del hilo.

Paso 5

Empecé a realizar las líneas finales definiendo los bordes de los objetos más duros y también las superficies más suaves. Un lápiz bien afilado HB o 2B es apropiado para esta fase. Aplicando una presión firme con largos y fluidos trazos, repasé el dibujo que ya tenía esbozado y limpié las líneas que sobresalían con la esquina de la goma de borrar.

Paso 7

Para las líneas más suaves necesité un lápiz más suave, así que cambié a un 6B y redondeé la punta con un papel. Utilicé marcas anchas para describir la textura del guante de ante. Para el ovillo repasé las líneas varias veces con suaves trazos cortos de lápiz y después lo difuminé un poco para darle un efecto más tenue.

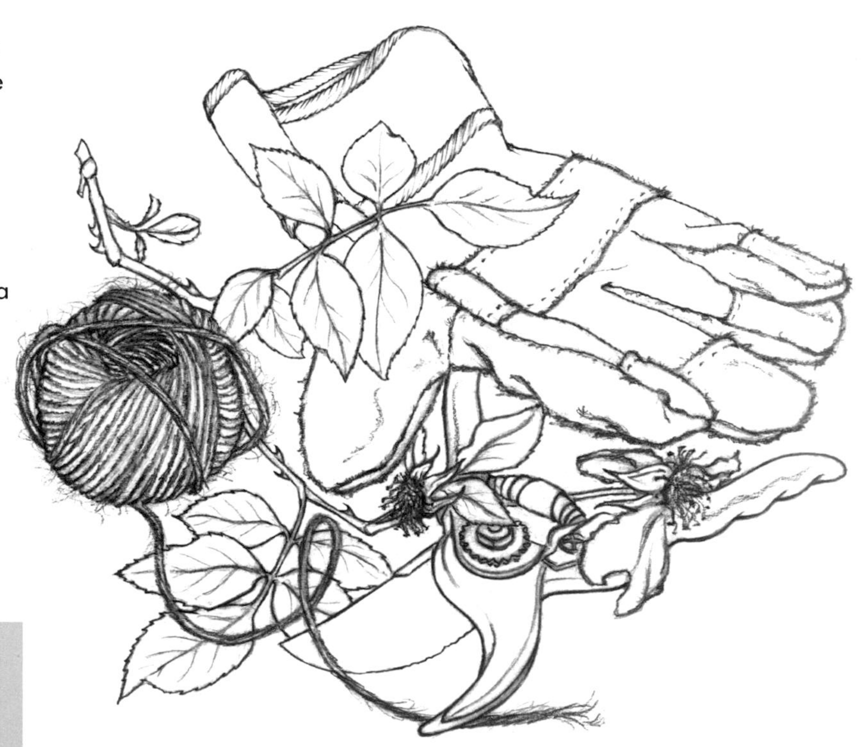

UN TRUCO ÚTIL

Es increíble cómo cambia el material orgánico cuando se seca. Llega un momento en el dibujo en que hay que fijar las formas y las posiciones de la naturaleza muerta.

TONO

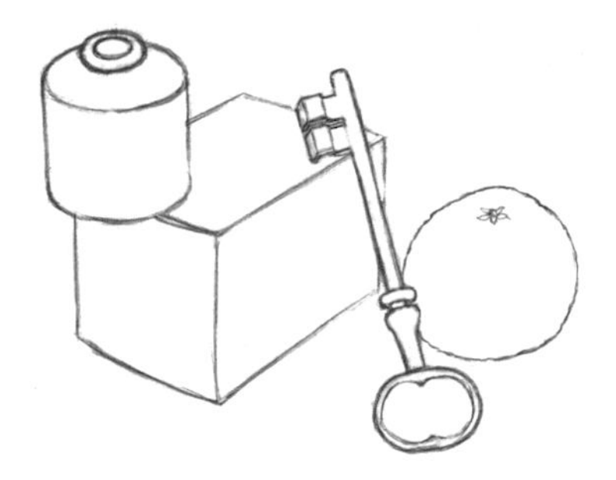

Como hemos visto, el dibujo basado en líneas puede transmitir muchas características de los objetos: forma, escala y textura además de su forma sólida. Sin embargo, para recrear aún más la ilusión de solidez es necesario dominar la técnica del sombreado o el «tono».

Entender lo que significa el tono implica analizar los efectos de la luz cayendo en los objetos y las sombras que se producen. El ángulo, la fuerza y la calidad de la luz afectarán al modo en el que se ven los objetos y también a su forma, textura y color. Basta con mirar por la ventana: seguramente crees que el marco de la ventana es blanco, pero visto con la luminosidad del cielo puede parecer negro. Cuando se dibuja con tonos, no hay que dar nada por sentado.

Cuando se nos presenta la información limitada de un dibujo con líneas, solo si estamos familiarizados con los objetos podemos deducir su forma sólida. Aún así existe mucha ambigüedad: ¿hay un tapón en la botella o una abertura? ¿De qué material está hecha la caja? ¿Cómo queda la llave equilibrada en ese ángulo? ¿Es una naranja o un disco plano?

Al trabajar con el tono, debería considerarse la composición de los elementos tonales dentro del marco del dibujo. Aquí, he reducido la disposición a manchas de tono para mostrar la dispersión equilibrada de tono en la zona del cuadro y comprobar que la composición es correcta antes de entrar en detalles.

Aplicando una amplia gama de tonos quedan respuestas nuestras preguntas. Podemos ver con claridad las formas sólidas de los objetos. Las sombras fundidas en los propios objetos y en otros aclaran la situación de todos los participantes de la composición. La sombra nos indica la luminosidad así como la dirección de la luz y la superficie sobre la que recae. Cuando la iluminación está claramente dirigida desde la parte superior izquierda, la «luz reflejada» es visible en la parte baja de los objetos donde rebota en las superficies colindantes.

También he dibujado el «tono» de los objetos, es decir el valor tonal inherente. Por eso, la botella es ligeramente más oscura que la caja, la naranja adopta un tono intermedio y la llave es con diferencia la que tiene el tono más oscuro. El tono inherente de cada objeto nos permite la presencia de reflejos que nos aportan datos sobre las superficies y los materiales y también le dan luminosidad al cuadro.

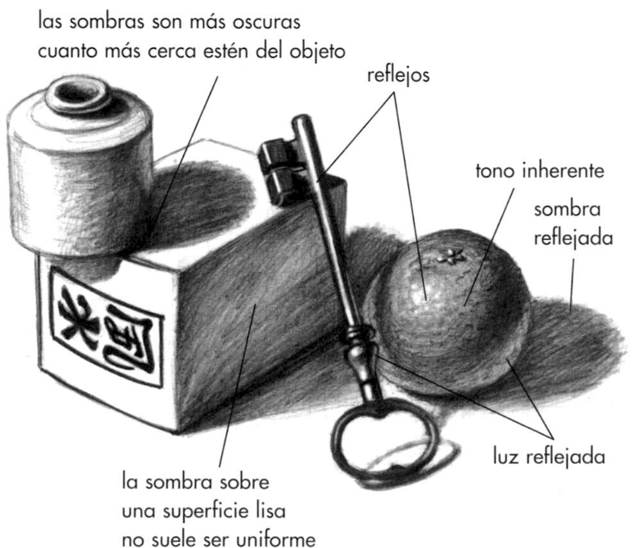

PATRONES DE SOMBRA

Cuando ya tengas más experiencia analizando y dibujando los tonos puedes experimentar con diferentes métodos para aplicar las sombras.

Quizás la sombra más fácil de dominar es la que se hace en distintas direcciones al azar sin ningún intento de definir las marcas del lápiz. No es el enfoque más sutil, pero es enérgico y expresivo.

La sombra aquí sigue la forma, curvándose en los contornos del objeto. Es difícil conseguir estos tonos, pero son muy eficientes para ayudar a describir la forma y la profundidad de los objetos.

Quizás no quieras que al final se acaben viendo las marcas del lápiz. Los tonos en este dibujo se hicieron con el lateral del lápiz y se fueron oscureciendo gracias a capas y capas de lápiz. Con la yema del dedo también se pueden difuminar los tonos y una goma de borrar es muy útil para marcar suaves reflejos y brillos.

Restringir la sombra en una única dirección es una técnica sencilla que produce un buen acabado. Este estilo suele suavizar los bordes del dibujo y, eso, a su vez, puede hacerle perder dimensiones.

UN TRUCO ÚTIL

En el trabajo artístico en blanco y negro es una convención bastante extendida restarle importancia al tono inherente y permitir que las partes más brillantes del objeto mantengan el color blanco. El resultado son dibujos más atrevidos y fáciles de captar.

DIBUJO TONAL

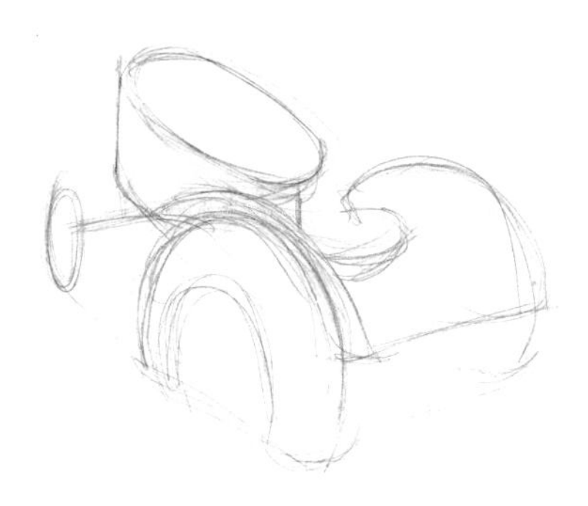

Sea cual sea la técnica tonal que se prefiera, tanto si se trata de unos tonos minuciosos como de líneas vigorosas, los principios del tono serán los mismos. Se trata de observar con detenimiento la caída de la luz e interpretarla en todo el dibujo. También será relevante tener e cuenta la claridad de toda la composición, lo que requerirá quizás que algunos elementos queden en manos de la exageración o la invención.

Paso 1

Como de costumbre, he empezado con las formas más grandes y la estructura básica utilizando un lápiz HB. Cuando añada más adelante el tono la mayoría de estas líneas básicas desaparecerán bajo las sombras, así que no es necesario dar toques suaves.

Paso 2

Para redefinir las formas y añadir detalles he realizado diversas comprobaciones de las mediciones con la vista y he ajustado las proporciones.

Paso 3

Ya conforme con el dibujo básico, he pasado de definir los detalles con marcas atrevidas, intuyendo ya algo de tono.

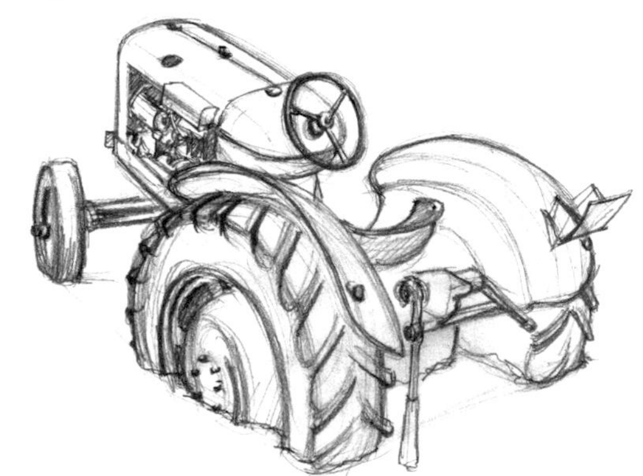

UN TRUCO ÚTIL

Para evitar manchas accidentales, pon un papel limpio entre tu mano y el dibujo.

Paso 4

Para la primera capa de tonos he cambiado a un lápiz más suave (2B) y he empleado el lado de la mina para cubrir las masas tonales principales. Después les he dado tono a las sombras más oscuras, haciendo especial hincapié.

Paso 5

En dibujos como este uno puede enseguida meterse en un barrizal, así que esta fase es vital. Busqué cualquier cambio tonal destacable y lo enfaticé con sombras y goma de borrar. Sección a sección, refiné las sombras y borré marcas innecesarias, estableciendo divisiones claras entre los tonos vecinos.

UN TRUCO ÚTIL

Entrecerrar los ojos es una manera muy efectiva para juzgar si el tono en los objetos es correcto y para detectar incoherencias en el dibujo.

Paso 6

Para completar el dibujo casi no tuve en cuenta el objeto en sí. Con un lápiz 4B repasé los bordes y equilibré los tonos en el conjunto, profundizado aquí y allá para que no hubiese nada que pareciese extraño. También añadí algunos detalles finales como una gallina ponedora que resulta que pasaba por allí.

DIBUJAR CON TINTA

La tinta produce una densa marca negra que puede aplicarse con mucha finura o también en masas sólidas dependiendo del utensilio empleado. Un bote de tinta negra no es nada caro y nos durará mucho tiempo. Cuando se seca, la tinta no puede borrarse ni diluirse haciendo que sea conveniente cuando se quiera dar posteridad a las marcas de lápiz y también para ser usada en combinación con otros materiales. La tinta blanca, aplicada con un pincel fino, es ideal para corregir errores y para añadir luces y acentuar. Hay que asegurarse de agitar bien el bote antes de cada uso.

Paso 1

La forma más sencilla para pintar con tinta es con plumas especiales para tinta con una punta muy fina y con cartuchos de tinta dentro. Aquí he utilizado una pluma de 0,3 mm para repasar un dibujo hecho con lápiz.

Paso 2

Las marcas de lápiz pueden borrarse fácilmente con golpes anchos de goma en toda el área del dibujo, dejando una definición clara de la tinta. Sin embargo, la línea fina y segura de una pluma a veces puede resultar demasiado perfecta y poco interesante.

Paso 3

Repasar de nuevo algunas de las líneas con una pluma más ancha (0,8 mm) aporta variedad de líneas. La diferencia es sutil pero el dibujo parece mucho más acabado.

Paso 4

Realizar un sombreado al azar es una forma fácil para iniciarse en el sombreado con tinta. Con una pluma 0,3 mm empecé a sombrear con trazos espaciados y uniformes todas las áreas de sombra, siguiendo aproximadamente la forma de la planta.

Paso 5

Para completar el sombreado, observé con mayor detenimiento mi objeto e identifiqué las variaciones de sombras. Donde la sombra era más oscura alteré el ángulo de sombra e insistí con más trazos con líneas homogéneas y espaciadas encima de las ya existentes. Es difícil transmitir con tinta negra los tonos pálidos así que hay que dejarlos en blanco.

UN TRUCO ÚTIL

Para aplicar la tinta con mayor seguridad, gira el papel de modo que tu mano pueda seguir el arco natural para cada línea.

A diferencia de dibujar con un lápiz o una pluma que lleve dentro un cartucho de tinta, dibujar untando la tinta en un tintero requiere mayor seguridad y pulso. Saber dominar la tinta es todo un arte y primero hay que tener bien claro en la cabeza cómo se efectuará antes de plasmarlo en un papel.

Pluma de dibujo con punta de acero

Estas plumas de estilo antiguo tienen unas puntas flexibles que permiten que las líneas tengan un grosor variable dependiendo de la presión que se aplica. Requiere bastante práctica dominarlas y lo normal es que al principio no nos salgan más que manchas. Hay que lavar siempre la punta con agua después de cada uso.

Pluma de bambú

Es una excelente herramienta para aportar personalidad al dibujo. Efectivamente es un palo con forma que se moja en tinta. Cuando está muy cargado la línea es gruesa y ondulante. A medida que va bajando el nivel de tinta, este tipo de pluma produce interesantes marcas para darle tonalidad y textura (véanse páginas 22-23).

Pincel y tinta

Un pincel redondo de buena calidad especial para acuarelas servirá para la mayoría de los efectos que queramos dar, tanto si queremos hacer líneas finas como recubrir áreas mayores con un sólido color negro. Los números 3 y 4 son de un tamaño versátil siempre y cuando la punta sea fina. Hay que lavar siempre con cuidado los pinceles y volverle a dar forma a la punta inmediatamente después de cada uso.

NEGRO SÓLIDO

Otra cualidad tanto de la tinta negra como de la blanca es su denso poder de cobertura en grandes áreas. Por ello se prestan a enfoques más gráficos de dibujo y diseño. A continuación presentamos un tratamiento gráfico más atrevido de la rosa dibujada y rellenada con un pincel.

Paso 1

Encima del esbozo a lápiz, la primera fase de la aplicación de tinta fue solo en el contorno. Para marcar el aspecto serrado de las hojas, lo dibujé con la punta del pincel, arrastrándola lejos de los bordes.

Paso 2

Rellenar el dibujo de negro fue bastante fácil, pero tuve que dejar algunos puntos en blanco para recordar dónde irían las líneas en blanco.

Paso 3

Después utilicé la tinta blanca para marcar los detalles, corregir errores y completar el diseño. Para permitir que la tinta blanca adoptase una consistencia gruesa, dibujé las líneas poco a poco y con gran atención.

TÉCNICAS DE DIBUJO CON TINTA

Esta ilustración formal está basada en grandes bloques de tinta negra y blanca. A pesar de parecer muy sencillo se requiere cierta planificación para decantarse por este enfoque.

Aquí he empleado la técnica del «pincel seco» (véanse también las páginas 24-25) que deja marcas de la textura del pincel en el papel.

La tinta puede aportar claridad a los dibujos. Después de trazar detalladamente el contorno de la forma de esta planta con una fina pluma de dibujo, borré las líneas del lápiz y añadí unas sombras de fondo para que las formas sobresaliesen.

La línea bien definida de una pluma de tinta puede resultar mucho más clara que las líneas de un lápiz. Queda claro que este viejo sofá tiene que parecer gastado y usado. Añadir más detalles o tonos disminuirá la claridad de esta intención.

La línea ligeramente áspera de la pluma cuando se utiliza con rapidez parece apropiada en este pequeño esbozo de una casa de campo inglesa de estilo Tudor. La mayoría de las sombras adoptan la forma de detalles de textura.

Para realizar este rápido boceto, utilicé un rotulador con pincel, un rápido sustituto del pincel y la tinta. Para atrevidos esbozos con tinta no hay que intentar transmitir las sombras del gris, sino tomar decisiones firmes sobre qué partes se realizarán en negro y qué partes se dejarán en blanco. (Véanse las páginas 26-27 para más información sobre cómo dibujar la perspectiva.)

Aquí he empleado una pluma antigua para realizar el dibujo de estudio. Aunque las marcas se asemejan a arañazos y las sombras resultan un tanto crudas, hay sutileza en los suaves contornos de la espalda de la modelo.

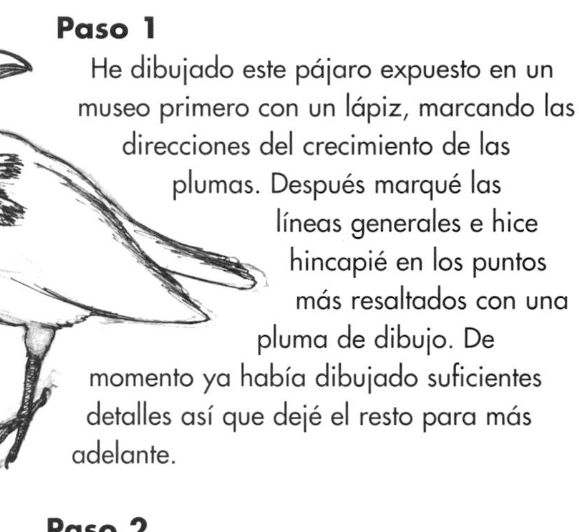

Paso 1

He dibujado este pájaro expuesto en un museo primero con un lápiz, marcando las direcciones del crecimiento de las plumas. Después marqué las líneas generales e hice hincapié en los puntos más resaltados con una pluma de dibujo. De momento ya había dibujado suficientes detalles así que dejé el resto para más adelante.

Paso 2

Ya en casa, borré las marcas de lápiz y creé grandes masas de tonos negros con un pincel y tinta. Aunque la mayor parte del dibujo es negro, dejé tonos en blanco para sugerir la textura del pájaro.

Trabajar con fotografías permite someter a los modelos a un gran escrutinio y tomarse cierto tiempo para captar hasta el más mínimo detalle. En este dibujo del monstruo de Frankenstein (abajo) he conseguido darle todo el sombreado mediante puntos utilizando una pluma con punta de acero. He utilizado el mismo utensilio para dibujar el pelo y he rellenado el fondo con un sólido color negro aplicado con pincel.

Para crear el delicado sombreado de este Drácula (derecha) he utilizado el lateral de un rotulador barato, rozado ligeramente contra la superficie de un papel con textura. Con una pluma de dibujo realicé las finas líneas del pelo y los ojos.

PLUMA DE BAMBÚ Y TINTA

Probablemente el material más básico de dibujo de todos sea la pluma de bambú, que ofrece una perfecta introducción al dibujo con tinta. Sus caprichosas marcas y flujo irregular de tinta obligan al dibujante a realizar dibujos directos y sin pretensiones. Resulta extrañamente satisfactorio utilizar estas plumas, sobre todo cuando se permite que sus marcas características dicten el tono del dibujo y se aceptan los pequeños accidentes que inevitablemente irán ocurriendo durante el proceso. Para esta demostración, he añadido además de la tinta negra, tinta marrón (un tono más pálido para aportar dos profundidades de tonos).

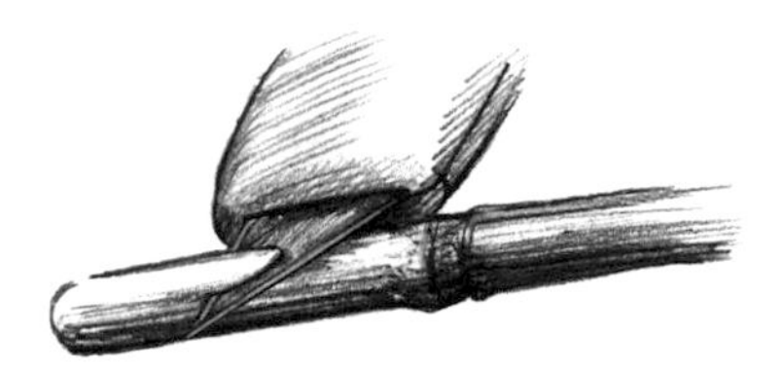

Si no encuentras una pluma de bambú en las tiendas de arte, puedes elaborarte tu propia pluma tomando una caña de bambú corta. Justo debajo de un nudo del bambú corta la caña formando un ángulo agudo y después moldea cada lado hasta conseguir una punta afilada. (Cuidado al cortar. Siempre alejado del cuerpo.)

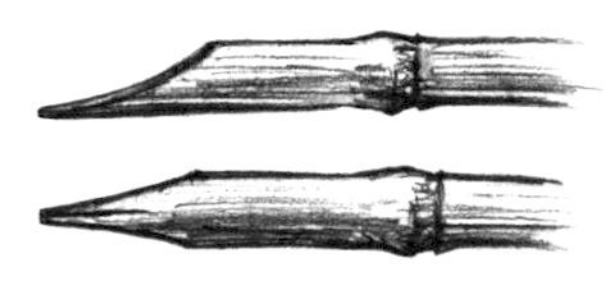

Cuando ya tengas la forma correcta, corta con cuidado una muesca alargada en el centro de la punta. Unta la punta en tinta y haz unas cuantas líneas en un papel. Si te parece que las líneas son demasiado finas o gruesas, puedes remodelar la punta con el cuchillo o una lija.

Para empezar hice un rápido dibujo de cinco minutos de mi padre para captar la pose y cómo funcionaba la pluma. Me gusta la liviandad de este esbozo que es precisamente lo que resalta la pluma de bambú.

Paso 1

Quería realizar un boceto con la suficiente precisión como para después pasar a pintarlo con tinta con seguridad. Así que ajusté las proporciones y la pose y marqué algunas arrugas de la ropa. También mostré las formas de las manos para comprobar la proporción.

Paso 2

Dibujar el detalle directamente con tinta dota el dibujo de frescura en las líneas, algo que se podría perder si se dibujan todos los detalles primero en lápiz. Con tinta negra, resalté los rasgos principales del dibujo, mirando constantemente al modelo para verificar que todo fuese correcto.

Paso 3

Para la primera fase del sombreado, limpié la pluma y cambié a tinta marrón (se puede utilizar cualquier otro color intermedio). Con tinta marrón realicé el sombrado de las zonas intermedias y las transiciones entre blanco puro, ignorando en principio el tono local. También tuve que fijar las arrugas de las ropa, pese a que este punto fue difícil porque las arrugas cambiaban cuando el modelo se movía.

Paso 4

Volviendo a la tinta negra, añadí las sombras y tonos más profundos, las transiciones de tono intermedio a negro, los pliegues más profundos de las arrugas y sombras interesantes en la cara. Ya tenía toda la información que necesitaba del modelo. Cuando la tinta ya estaba completamente seca (gracias a la ayuda del secador), procedí a borrar todas las marcas de lápiz.

Paso 5

Utilicé un pincel para rellenar los tonos sólidos de color negro en los pantalones. Después repasé el resto del dibujo con la pluma y ambas tintas para reforzar algunas de las marcas y equilibrar los tonos en general. Para acabar, añadí una sombra en el fondo del dibujo con la tinta de color más claro para anclar la figura en el suelo.

TÉCNICA DEL PINCEL SECO (*DRYBRUSH*)

Hemos visto las peculiares marcas que dejan los diferentes utensilios de dibujo y cómo influyen en las cualidades gráficas de los dibujos finales. Por lo tanto, se infiere que el tema del retrato también determinará la elección de los materiales y la técnica. No hay unas reglas claras sobre qué materiales y qué técnicas deberían utilizarse ni cuándo es más apropiado emplear una técnica que otra para conseguir el efecto deseado.

Para demostrar la técnica del pincel seco, he elegido utilizar tinta diluida, como si fuese una acuarela, y tres tipos distintos de pincel: un pequeño pincel de cerda (n.° 2), un pincel de punta final para acuarelas y un pincel más ancho, con la punta plana, también para acuarelas.

Paso 1

Sabiendo de antemano que los animales no son buenos modelos, trabajé con una fotografía. Hice bastantes y seleccioné la que me pareció que tenía más personalidad. En esta primera fase, discerní la estructura básica del perro bajo todo su pelaje. También tuve especial cuidado en posicionar los ojos y la trufa.

Paso 2

A medida que iba desarrollando el dibujo el principal objetivo era marcar la dirección y las ondas del pelaje. Hay poco más en el dibujo, así que tenía que dibujar el pelo de manera convincente. También quería establecer un contorno con carácter.

Paso 3

Con muy poca tinta en el pincel, cada cerda deja su propio trazo, emulando el pelo del perro. Aquí utilicé una tinta de dibujo normal y corriente rebajándola un poco con agua y, después de untar el pincel, lo secaba con un pañuelo de papel. Primero probaba el flujo de la tinta en un papel de prueba para comprobar que dejaba las marcas peludas que deseaba y después lo utilizaba para dibujar las zonas más oscuras del pelaje, siempre siguiendo la dirección de crecimiento natural del pelo.

Paso 4

Con un pincel fino de acuarela pinté los detalles de los ojos y la trufa. Cuando ya estaba seca la tinta, borré las marcas de lápiz. Mezclé una solución de tinta mucho más aguada y apliqué pinceladas anchas en las zonas de sombra. Quería que algunas zonas no tuviesen tanta sombra, así que le di unos toques en algunas áreas con un pañuelo de papel para quitar parcialmente la tinta antes de que se secase. También dejé las zonas más luminosas en color blanco.

Paso 5

Para acabar, intenté refinar el dibujo, mezclando una solución más oscura de tinta y reafirmando algunas de las sombras más oscuras del pelaje. También corregí algunas marcas erróneas en el morro.

PERSPECTIVA: UNA GUÍA RÁPIDA

Quienes se inician en el dibujo a veces no saben cómo plasmar la perspectiva, lo que les genera cierta ansiedad. De hecho, no hace falta preocuparse porque todos hemos utilizado la perspectiva alguna vez. Al pintar una sencilla caja habremos tenido que juzgar los ángulos mediante nuestra visión o sosteniendo el lápiz. Ahora bien, entender la perspectiva requiere conocer una serie de reglas que aclararán algunos aspectos.

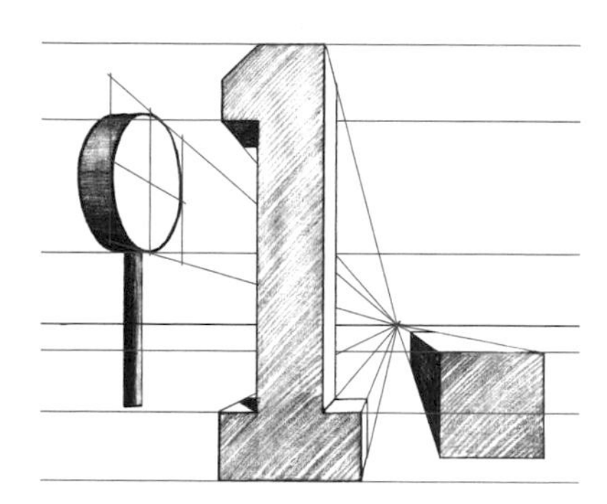

PERSPECTIVA DESDE UN PUNTO ÚNICO

La forma más sencilla de dibujar la perspectiva es posicionar los objetos de manera que nos queden de frente sobre una superficie. Todas las verticales quedarán verticales y todas las líneas horizontales también quedarán así. Ahora bien todas las líneas que queden más allá de la vista lo harán en ángulos fácilmente identificables. Por eso se conoce como perspectiva única.

El secreto para conseguir que la perspectiva se traslade correctamente está en identificar el horizonte, es decir, el nivel del ojo en relación con los objetos. Imaginémonos que estás sentado en frente de estos enormes bloques. Los ojos estarán al nivel de la línea negra del horizonte, lo que significa que podrás mirar hacia abajo desde lo alto de el gran bloque rectangular pero podrás mirar hacia arriba en la elipsis que hay enfrente. La posición en relación con el horizonte determinará el punto de convergencia, es decir, el punto en el que se encuentren todos los ángulos si se proyectan. En este caso estarás posicionado entre el número 1 y el bloque rectangular. Desde el punto de convergencia, una regla indicará con claridad los ángulos que se proyectan.

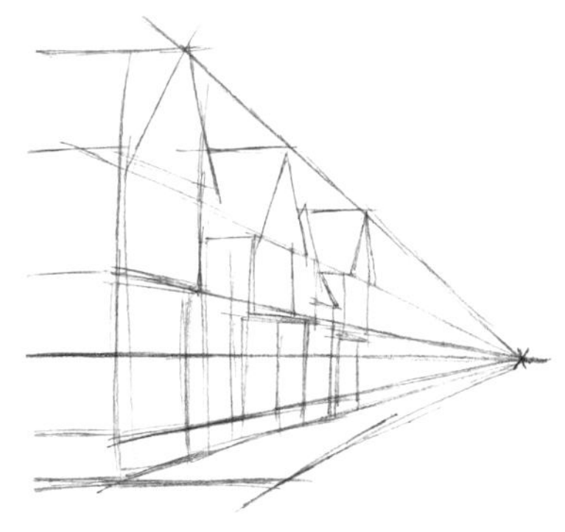

Paso 1

Estos antiguos edificios se dibujaron de manera general utilizando el método del lápiz sostenido para determinar los ángulos. Partiendo de aquí, era fácil proyectar las líneas para determinar el punto de convergencia y utilizarlo para dibujar el resto de los ángulos.

Paso 2

Las líneas de perspectiva y las líneas verticales forman una parrilla que guía el dibujo. Deliberadamente he desviado algunas líneas para mostrar la deformación de los edificios antiguos y para mostrar cómo las divergencias de la parrilla de perspectiva se notan con claridad.

Paso 3

Con unos contornos ya marcados, se pueden borrar las líneas proyectadas y añadir más detalles para conseguir un atrevido dibujo ya terminado. Hay que tener en cuenta que las vigas de las casas que quedan más lejos también aparecen más estrechas y más juntas.

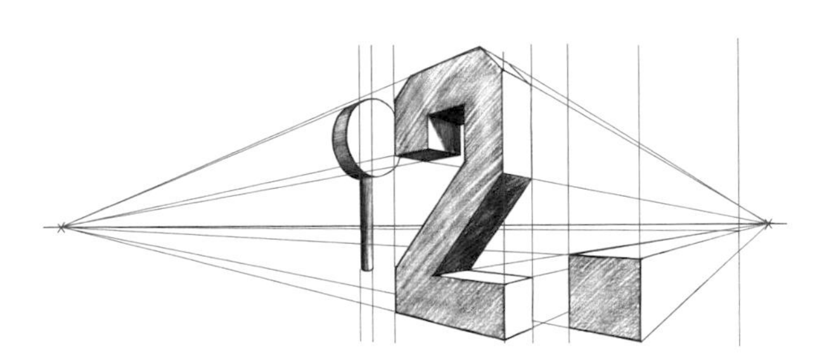

PERSPECTIVA DESDE DOS PUNTOS

Como ya habrás intuido, la perspectiva desde un punto único no ataja todos los problemas potenciales que presenta la perspectiva. Es más común ver una perspectiva desde dos puntos, donde entran en juego objetos que se ven desde un ángulo.

Aquí, el diagrama se observa desde un ángulo en el que ninguno de los bloques se ve recto. Eso significa que tanto el lado frontal como los lados laterales cambian desde el ángulo de visión y por lo tanto también cambian los ángulos de su construcción. Las líneas verticales se dibujan igual pero todas las horizontales, excepto el horizonte, tienen ángulos hacia arriba o hacia abajo que van a confluir en dos puntos diferentes.

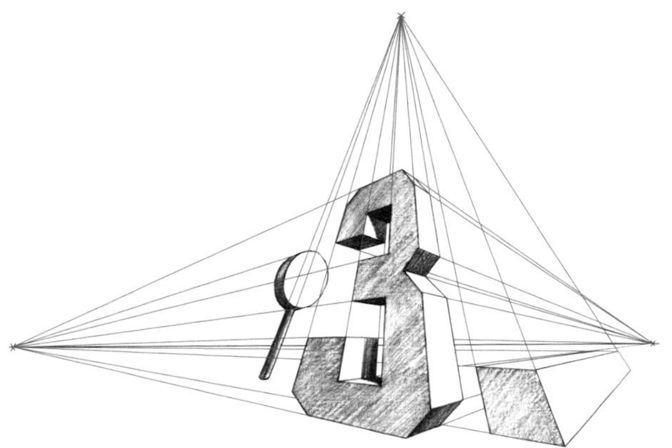

PERSPECTIVA DESDE TRES PUNTOS

Este esquema de perspectiva utiliza tres puntos de convergencia. Aunque es fácilmente observable, su efecto en las escenas cotidianas es sutil y muchos artistas lo ignoran. Aún así puede aportar un efecto mayor, sobre todo en las ilustraciones y libros de cómics. El tercer punto de convergencia se sitúa en lo alto del objeto y rige las líneas verticales. A menudo ese punto está tan alto que el efecto es mínimo, pero podemos verlo con claridad en este esquema en el que hemos proyectado las líneas. Para que un tercer punto de convergencia esté bajo, tendríamos que tener los objetos muy, muy cerca, de manera que el esquema de perspectiva distorsionaría las formas de los objetos en el lado derecho y izquierdo. En la práctica casi nunca se incluyen objetos que estén tan bajos como el horizonte al dibujar objetos hacia arriba ya que quedarían fuera del campo natural de visión.

PERSPECTIVA AÉREA

Cuando se observa un objeto distante, se tiene que observar a través de una masa de aire mayor que cuando se mira algo cerca. El efecto es una reducción de los contrastes de tono con la distancia. En esta ilustración, por ejemplo, los detalles del horizonte aparecen muy pálidos, mientras que los que están en primer plano tienen unos tonos mucho más vivos y ricos.

La perspectiva aérea siempre está presente, incluso en las distancias cortas. La regla básica es aplicar menos sombra y tonos más débiles en los objetos distantes e ir incrementando el contraste a medida que los objetos están más cerca.

PLUMA Y ACUARELA

Para esta demostración he utilizado una pluma y acuarela. Una pluma fina de dibujo para fijar los detalles de la escena y acuarelas diluidas en agua para aportar luz, sombra y tonos locales. Las reglas de la perspectiva única me ayudaron a darles consistencia a los ángulos más lejanos.

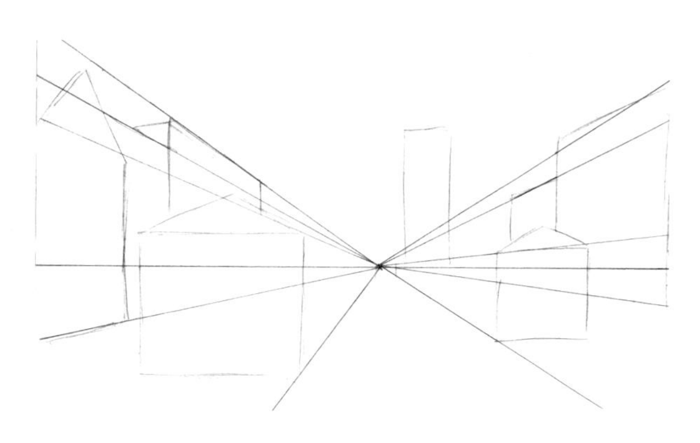

Paso 1

Tras marcar el horizonte, situé a grandes rasgos los principales edificios en relación con mi visión ocular. Después establecí el punto de convergencia y utilicé una regla para hacer las principales pautas.

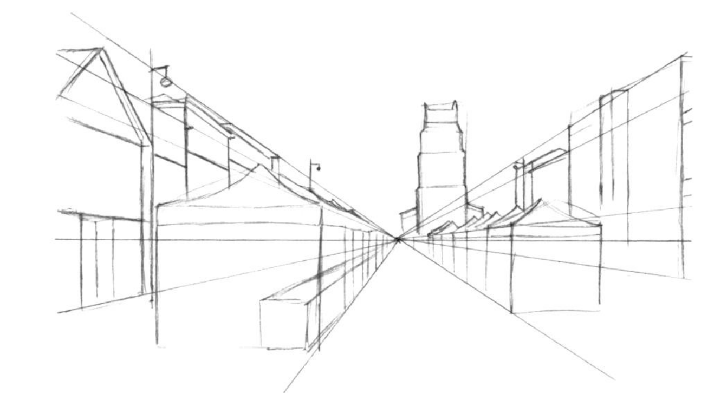

Paso 2

Siguiendo las líneas fijadas, dibujé los principales bloques de edificios y los puestos en las calles con mayor precisión.

Paso 3

A continuación dibujé más detalles para darle mayor vida al dibujo. Resulta fácil situar a la gente en relación con el horizonte. Desde mi punto de vista, subido a un peldaño, mi visión estaba ligeramente por encima de las cabezas de la gente así que puse sus cabezas justo por debajo de la línea del horizonte.

Paso 4

Necesité paciencia y tiempo para pasar a tinta tantas ventanas y detalles. Utilicé una pluma más ancha para reforzar las líneas más cercanas y establecer así un sentido de perspectiva aérea. Después borré las líneas en lápiz para dejar una base clara para proceder con las acuarelas.

Paso 5

Añadí una pintura de acuarela negra bien diluida y la apliqué con un pincel medio redondo para acuarelas (n.° 6). Se necesita un poco de práctica para emplear las acuarelas así que conviene hacer prácticas antes. Hay que mantener el pincel bien cargado de pintura, aplicarlo con trazos anchos y, una vez está acabado, no toquetearlo.

Paso 6

He utilizado dos o tres acuarelas más de diferentes fuerzas para establecer diferentes sombras y tonos locales y resaltar algunos detalles, siempre dejando que el color aplicado anteriormente se hubiese secado por completo. Dejé sin pintar, en blanco, las zonas más luminosas.

TINTA SOBRE UN FONDO CON TONO

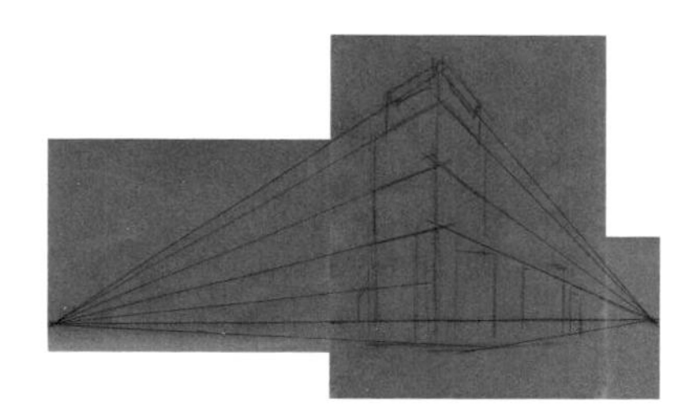

Trabajar sobre un papel gris (papel Canson gris) tiene muchos beneficios a la hora de aplicar distintas técnicas. En este caso, quería retratar la escena de noche así que el fondo ya coloreado ofrece la atmósfera que busco, ofreciendo ya un acabado más acorde. Este tema también ofrece una demostración de la perspectiva desde dos puntos, muy empleada.

Paso 1

Hice unas líneas generales del edificio, considerando los ángulos a simple vista, y fijando el horizonte. Después añadí unas láminas de papel más a mi dibujo para proyectar los puntos de convergencia de acuerdo con él. No tiene mucha importancia si los puntos de convergencia están un poco desplazados, siempre y cuando el horizonte se mantenga constante.

Paso 2

Ahora podía corregir las ángulos erróneos de mi esbozo. Los detalles de la iglesia resultaron fáciles de añadir dentro de las líneas ya establecidas, aunque es cierto que requirieron análisis.

La noche anterior había realizado este boceto (izquierda) de la iluminación de la iglesia. Aunque era un esbozo rápido, aportaba suficiente información sobre la iluminación como para completar más tarde tranquilamente el dibujo en mi estudio.

Paso 3

Acabé el dibujo con una pluma de dibujo. También utilicé la pluma para dar sombras a algunos de los detalles que sabía que acabarían siendo de un color negro sólido en el dibujo ya acabado.

Paso 4

Con una acuarela negra diluida añadí una capa extra de tono, teniendo en cuenta el esbozo que había realizado anteriormente. Aquí se puede ver cómo la acuarela hace que el papel se combe.

Paso 5

Pintar el cielo con tinta negra aportó un cambio total, al situar el dibujo claramente en la noche. También oscurecí unas cuantas áreas más con la acuarela.

Paso 6

Añadí toques de luz con tiza blanca, a la que le había dado una forma aplanada para destacar los reflejos en el edificio y también con punta para los detalles más refinados. Par el toque final, pinté unas cuantas estrellas en el cielo con tinta blanca.

DIBUJAR CON LUZ

Hay muchos métodos para aportar reflejos que tienen el efecto de añadir claridad, forma y un toque finalizado. Estas técnicas también pueden adaptarse como procesos pictóricos por sí mismas, ya que a menudo requieren una metodología distinta, y aportan un mayor abanico artístico además de ofrecer atajos a algunos efectos que de otro modo serían difíciles de conseguir.

Papel blanco

Los reflejos más básicos que pueden realizarse se consigue dejando el papel blanco tal cual. Para captar la luminosidad del lugar, utilicé un lápiz muy suave para las sombras más densas y añadí tono del fondo para que la figura resaltase.

Goma

Las gomas, tan útiles para dar reflejos a los dibujos con lápiz, pueden ser efectivas con otros materiales no permanentes. Todos los reflejos y formas de este dibujo se hicieron con una goma, eliminando y suavizando los detalles en un dibujo realizado con carboncillo.

Cera

Puesto que las ceras repelen el agua, pueden utilizarse para mantener los reflejos. Aquí he utilizado una vela blanca normal para dibujar los reflejos antes de aplicar acuarela diluida con amplios trazos en toda la superficie. Además de ahorrar tiempo, las marcas resultantes son interesantes y agradables además de un tanto impredecibles.

Tiza

Aplicar reflejos a un fondo con tono aporta una capa extra con la que trabajar. Hice este rápido dibujo con carboncillo y después utilicé tiza blanca para darle brillos, lo que además le aporta a la cara un sentido de redondez.

Lápiz blanco

Este tenebroso dibujo está compuesto por completo de reflejos. Utilicé un lápiz blanco sobre un papel negro y tuve que dibujar con atención sin ninguna línea previa porque este tipo de lápiz no se borra bien. Dibujar blanco sobre negro implica un proceso contrario al habitual por lo que en un principio no resulta natural para el artista (véanse las páginas 34-35).

Tinta blanca

Aquí he utilizado un pincel y tinta blanca para conseguir varios efectos: dibujar las plumas blancas y añadir brillo al marco de la ventana y adornos, además de compactar el cielo y añadir luminosidad al alféizar.

Marcador de tinta china

El grafito es muy brillante así que hay pocos materiales que puedan dibujar encima. Sin embargo, un marcador de tinta china blanca funcionará tal y como vemos aquí donde lo he empleado para resaltar algunos detalles en este trastero.

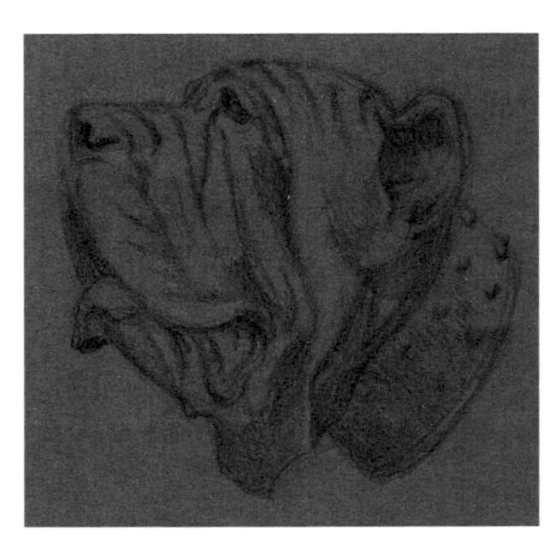

Paso 1

Dibujar luz en la oscuridad no es el proceso más intuitivo así que puede ser útil ver el dibujo resaltado en varias fases. Conscientes del problema de añadir reflejos a las marcas de lápiz, he hecho este dibujo básico con lápiz de color gris.

Paso 2

He elegido un papel de fondo bastante oscuro en este estudio para que los reflejos resultasen más llamativos. Partí de una fotografía y utilicé una lápiz de color blanco para redefinir el perro, utilizando trazos luminosos y claros en la cara y reservando las marcas más fuertes para resaltar el contorno superior.

Paso 3

Con los reflejos ya realizados, utilicé un lápiz blando para describir las sombras más profundas y resaltar los detalles. Al mezclar materiales sobre un fondo de color siempre tengo cuidado cuando relizo las marcas previas ya que pueden ser difíciles de borrar por completo.

CARTONCILLO PARA ESGRAFIAR (*SCRAPERBOARD*)

Para dibujar blanco sobre un fondo negro no hay ningún método más nítido que el cartoncillo para esgrafiar, una superficie preparada de caolín cubierto por una capa de tinta negra. Se puede utilizar una herramienta especial para rascar la superficie revelando el brillante blanco que esconde. El cartoncillo para esgrafiar se vende en hojas de distintos tamaños o en paquetes que incluyen también la herramienta.

A menudo llevo un cuaderno de dibujo de bolsillo para tomar notas visuales de temas interesantes con los que me voy encontrando. Una tarde de verano me llamó la atención este paisaje. Es un buen tema para hacerlo en cartoncillo para esgrafiar por la profundidad de las sombras y la textura de las balas de paja en los campos. Gracias a mi experiencia con los dibujos en paisajes reales, sabía que este rápido esbozo me aportaría suficiente información como para acabar elaborándolo en un dibujo más acabado.

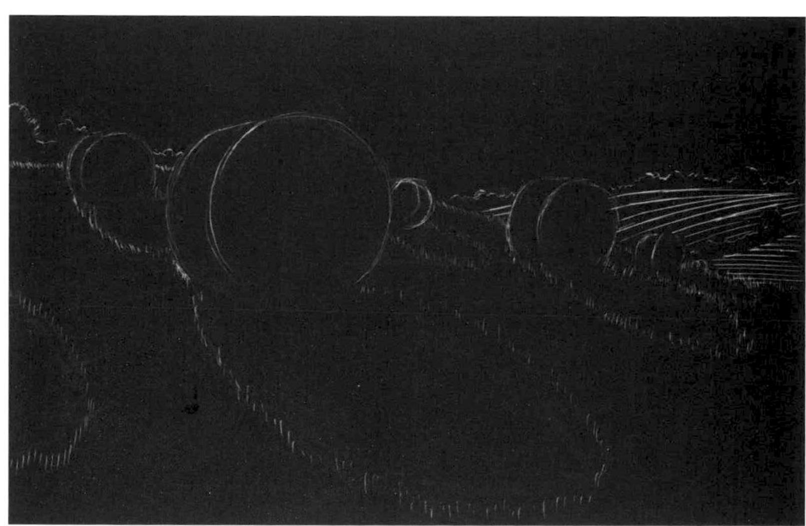

Paso 1

Después de marcar las luces con tiza blanca, dibujé los contornos principales con la punta fina de la herramienta de esgrafiado.

Paso 2

Empecé a rascar los detalles con cuidado para realizar las marcas siguiendo la dirección y la textura del paisaje real. Trabajé con las balas de paja más distantes hasta llegar a las más cercanas, reforzando las marcas a medida que se aproximaban.

Paso 3

Desde el centro del dibujo hacia delante, las balas tenían que disponerse en filas para transmitir el sentido de un campo cosechado. Utilizando el lado más ancho de la herramienta he hecho marcas más atrevidas a medida que trabajaba con el dibujo. He empezado con el cielo, intentando dejarlo completamente blanco pero como me gustaba como quedaba el efecto blanco y negro decidí dejarlo sugiriendo una dramática nube.

Paso 4

Añadí algunos detalles más en las zonas de sombra para romper los grandes volúmenes de color negro. Para terminar, di reflejos a las balas para que pareciese que brillaban con el cielo, un efecto que se ve en la naturaleza. Aunque no hay un contorno superior resaltado el ojo sabe leer la forma redondeada completa de la bala.

UN TRUCO ÚTIL

Los pequeños errores pueden rectificarse fácilmente con tinta negra. Cuando la tinta está seca se puede rascar igual que en la capa negra original que trae el cartoncillo.

CARBONCILLO

Se venden en diferentes grosores y son baratos y versátiles. Las suaves y oscuras líneas de carboncillo fomentan unos dibujos con líneas atrevidas, ya que pueden ser fácilmente suavizadas y corregidas. Gran parte de la versatilidad proviene de los sedimentos que deja que pueden extenderse de diferentes modos según los efectos y las técnicas que se quieran aplicar.

El carboncillo da enseguida tono al dibujo haciendo que sea una buena elección para hacer esbozos de temas efímeros y rápidos. Aquí he utilizado el carboncillo, lo he extendido, lo he mezclado y lo he borrado, como base para un dibujo acabado con pluma.

Utilizado en poca cantidad, el carboncillo permite realizar líneas de distinto peso según la presión que se aplique. También puede utilizarse para realizar suaves sombras cuando un trozo del carboncillo se rompe y se utiliza en toda su superficie, de manera lateral.

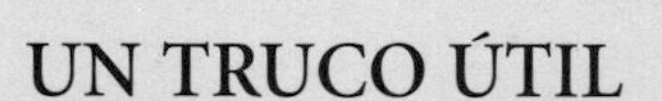

UN TRUCO ÚTIL

Para los detalles, el carboncillo se puede afilar con un cuchillo. En vez de dejar una punta como la de un lápiz el carboncillo funciona mejor si se afila sólo por un lado, como si fuese una antigua pluma de ave. Recuerda que siempre tienes que alejar la cuchilla del cuerpo.

Aquí he explorado un poco más el potencial de sombrado medio del carboncillo. He difuminado las partes del dibujo con las yemas del dedo para conseguir tonos intermedios y encima añadí más carboncillo para darle una tonalidad más fuerte o eliminé con una goma los reflejos para darle luz.

Con esta demostración quiero demostrar lo fácil y rápido que es trabajar con carboncillo, sobre todo si no se pretende hacer un retrato con excesivos detalles. Tardé menos de una hora en realizar este dibujo, gracias en parte al uso del pincel para salvaguardar algunos detalles que no quería que se difuminasen y trabajando después con anchos trazos.

Paso 1
Después de realizar a grandes trazos el dibujo en lápiz, capté los detalles más oscuros con un pincel. Conviene advertir que aquí he utilizado marcas ondulantes y rotas para sugerir el movimiento del agua.

Paso 2
Con el lateral de un trocito de carboncillo (de unos 2,5 cm), cubrí rápidamente las áreas de tono.

Paso 3
Utilicé la yema del dedo para difuminar el carboncillo y que penetrase en el grano del papel. Después apliqué de nuevo el carboncillo para profundizar en los tonos donde lo creí necesario.

Paso 4
Para acabar el dibujo y darle un aspecto más ordenado, suavicé algunas sombras, añadí detalles y también creé reflejos con la ayuda de la goma.

OTROS MATERIALES

PASTELES

Con un poder de cobertura muy opaco, los pasteles realizan marcas atrevidas y son muy apropiados para los fondos con tono. También se mezclan bien entre sí, ya sea dibujando diferentes tonos y colores o difuminándolos con la yema del dedo. En el dibujo de más arriba, he utilizado sombras en blanco y en tres tonos de gris sobre un papel muy oscuro.

Gran parte de este estudio se realizó con carboncillo pero los pasteles fueron útiles no solo para aportar los reflejos luminosos sino también para aportar una textura diferente a la parte elástica de las botas, distinguiéndolas de la piel brillante. Además de los tradicionales pasteles que vienen en barra también los hay en lápiz y aquí me fueron muy útiles para dibujar las finas franjas de luz.

Los pasteles se ofrecen en una amplia gama de colores y tonos, así que se pueden elegir antes de proceder a dibujar, reduciendo la necesidad de un uso sensible a la presión y más tarde se pueden hacer ajustes. Aquí he utilizado un tono gris intermedio para dibujar el ciervo y después los detalles en carboncillo han resaltado convenientemente.

UN TRUCO ÚTIL

Los dibujos acabados con carboncillo, tizas o pasteles deberían protegerse con un esprái fijador ya que se pueden hacer manchas indeseadas. También es posible utilizar laca que casi queda igual de bien y es mucho más barata. También se puede fijar un dibujo en varias fases mientras se sigue trabajando en él.

Los pasteles también se prestan a trazos vigorosos y expresivos. Aquí puede verse cómo el pastel negro utilizado en esta gaviota realiza unas marcas diferentes al carboncillo.

TIZAS

Para realizar unos reflejos sencillos en color blanco, la tiza típica de pizarra es tan buena como un pastel. Con cuidado, se pueden conseguir efectos muy sutiles.

Las tizas de pizarra son mucho más baratas que los pasteles y tienen propiedades similares, pero la gama de tonos y colores es extremadamente limitada. Al dibujar este vigoroso esbozo utilicé varios colores pero ninguno era suficientemente oscuro para las zonas de sombra. Afortunadamente las tizas se mezclan bien con carboncillo, que utilicé para completar el retrato.

LÁPICES CONTÉ

Aquí he utilizado dos sombras de lápices conté. Se puede ver que las dos sombras son bastante distintas entre sí aunque se pueden mezclar si se quiere.

Más estables que los pasteles y más ricos en tono y color. La marca ligeramente encerada que dejan puede aportar un aspecto agradable y veteado, sobre todo en papel que ya tenga textura. También puede difuminarse y mezclarse con la yema del dedo. Cualquier reflejo debería dejarse en tono blanco del papel porque es difícil de borrar o de mezclar con otro medio blanco.

UN TRUCO ÚTIL

A veces la yema del dedo es demasiado torpe para difuminar y mezclar los pequeños detalles. Se puede conseguir mayor control utilizando un rodillo que esté formado por papel con una punta fina.

MARCADORES ESPECIALES PARA DIBUJO

En muchos ámbitos del arte comercial, los marcadores profesionales de gran calidad han sido el material por excelencia. En manos experimentadas no tienen rival para ofrecer dibujos rápidos con un efecto de gran acabado. Hay una gran variedad de tonos y colores, pero, si son de calidad, son caros. Afortunadamente, para realizar un dibujo en blanco y negro, basta con tener tres o cuatro tonos de gris. Además funcionan mejor en papel fino, que es barato.

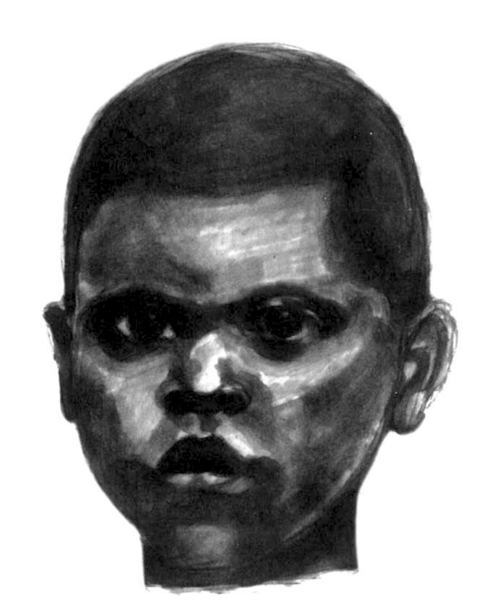

Incluso si solo se compra un marcador de dibujo, se pueden realizar múltiples tonos. Basta con ir sobreponiendo tinta y los tonos se irán formando. Aquí sólo he utilizado un marcador de una tonalidad gris intermedia encima de un esbozo de papel y lo he terminado en solo 10 minutos.

Paso 1

Para obtener una superficie limpia, he trazado un boceto en un papel blanco. Con un marcador negro de dibujo he marcado los contornos generales, dejando otros para ser delineados mediante cambios de tono o reflejos.

Como es práctica habitual en el diseño cinematográfico, he fotocopiado el esbozo de lápiz de este traje varias veces y he utilizado los marcadores para probar rápidamente distintos colores. El acabado es mejor cuando se hace con rapidez.

Paso 2

Con tinta negra reforcé algunas de las líneas y rellené las zonas oscuras del parachoques y las ruedas. También observé con atención los reflejos en la pintura del coche y la ventana y con tinta resalté los contornos.

Paso 3

Para el sombreado rudimentario del interior, utilicé dos tonos de marcador, empleándolos con grandes trazos. Los marcadores que yo utilizo tienen puntas en ambos lados: una más ancha con forma de cincel y otra más fina. Empecé dando sombra al coche por los bloques más obvios de tono utilizando el lado del cincel de un rotulador de gama gris intermedia. Con la punta fina del marcador rellené los detalles más pequeños.

Paso 4

Trabajé gran parte del resto del coche con un marcador de un color más claro y también trabajé con más minuciosidad las luces frontales. Una vez ya bastante acabado, observé dónde tenía que profundizar más en los tonos y fui creando un color más oscuro con la técnica de capa sobre capa. Los marcadores se funden enseguida con facilidad al añadir el siguiente tono antes de que esté completamente seco. Puede ser apropiado practicar antes estos efectos en un papel sin importancia.

Paso 5

Repasando con un marcador muy claro pude resaltar el color en algunas áreas en las que había exceso de negro. Utilicé un pincel muy fino y tinta blanca para corregir algunas marcas erróneas y para añadir reflejos de luz y algunos detalles. Un poco rebajada en agua, también utilicé la tinta blanca para acentuar la goma de los neumáticos y las superficies plásticas.

UN TRUCO ÚTIL

No descartes utilizar viejos marcadores cuando empiezan a secarse. Son muy útiles para conseguir algunos efectos y, cuando ya se han secado por completo, pueden rellenarse y quedan tan bien como si fuesen nuevos.

ROTULADORES Y ACUARELAS

Tradicionalmente los rotuladores han sido materiales baratos, con una amplia gama de colores y dirigidos principalmente al dibujo infantil. Son geniales para darle colores vivos a un dibujo y a los niños les encanta, pero para dibujos artísticos más serios resultan demasiado simples. Sin embargo, con un poco de cuidado, pueden utilizarse y conseguir un buen efecto, sobre todo si aprovechamos sus propiedades solubles en agua.

En algunos casos, la calidad gráfica de los rotuladores baratos puede bastar si se utilizan con rapidez y sin abusar.

Convencí a mi hijo para que posase para esta demostración. Después de modificar la pose y la iluminación, hice este pequeño esbozo para garantizar que la composición funcionaba bien. Dichos preparativos son importantes ya que nos familiarizan con el tema, hacen que el modelo se acomode y al final ahorran tiempo.

Para este efecto acuoso, utilicé un rotulador gordo negro para pintar el fondo con tonos profundos. Después utilicé un pincel húmedo para fundir las marcas y con tinta dibujé las partes más pálidas para conseguir unos tonos más sutiles.

Paso 1

Sobre un grueso papel para acuarelas, hice un dibujo más acabado, concentrándome en la cara y la mano. No me preocupaban tanto ni el brazo ni el fondo en esta fase.

Paso 2

En este paso he subrayado los ojos y algunos de los detalles con tinta permanente con un marcador de dibujo negro. Para el resto de contornos he utilizado un rotulador de tono gris intermedio y después he borrado las líneas trazadas con lapicero.

Paso 3

He utilizado dos tonos de rotulador gris para aplicar las sombras a grandes rasgos, siguiendo las curvas de las superficies. Parece un tanto tosco, pero capta muy bien la luz.

Paso 4

Con un pincel ancho, pinté con agua sobre las marcas realizadas con el rotulador para mezclar las líneas y lograr un efecto difuminado en la superficie. Este paso lo hice con rapidez y me detuve antes de dejarlo demasiado aguado. Hay que tener en cuenta que los contornos no se han difuminado porque utilicé tinta permanente para realizarlos.

Paso 5

Con el papel ya seco, me propuse restablecer algunos detalles con los rotuladores y enfatizar algunos reflejos de luz. Aplicando agua con un pincel pequeño humedecí las áreas y las empapé en un pañuelo de papel seco para extraer la tinta del papel. Para conseguir los reflejos de luz pinté con un poco de lejía sobre un pincel muy fino.

MATERIALES SOLUBLES EN AGUA

Estrictamente hablando, el dibujo y la pintura son dos disciplinas bastante distintas, pero, como hemos visto, se pueden aplicar efectos pictóricos a los dibujos y los materiales de dibujo pueden emplearse como si fuesen de pintura. A continuación vamos a hablar de algunos materiales creados específicamente para estos propósitos. Se trata de lápices que se pueden disolver y se mezclan con la aplicación de agua.

LÁPIZ

Suelo utilizar un lápiz soluble en agua, de tonalidad oscura, para la mayoría de mis esbozos. La marca que realiza es la misma que la de cualquier otro lápiz pero además me da la opción de añadir con rapidez suaves tonalidades de acuarela si lo deseo.

El mismo lápiz puede utilizarse para conseguir tonalidades definitivas (derecha). Aquí, he conseguido los tonos aplicando dos o tres capas y dejando que el agua se seque entre medio. Cuando las marcas se han humedecido se necesita una goma de tinta para conseguir los reflejos de luz.

PASTELES DE COLOR

En el caso de esbozos más grandes, los pasteles de color solubles en agua enseguida cubren grandes superficies con colores y tonalidades. Son divertidos de utilizar, se pueden aplicar en grandes trazos y se mezclan fácilmente con un pincel húmedo.

Mientras este dibujo con pasteles (derecha) seguía húmedo, añadí un poco de tono más profundo y detalles con tinta parcialmente diluida.

LÁPICES DE COLOR

Los lápices de color solubles en agua no tienen la misma suavidad que la versión en grafito pero los venden en distintas tonalidades y colores. Para realizar este estudio de un vestido, empleé tres tonos de marrón en un papel en el que ya había aplicado en contorno con tinta. Para los reflejos utilicé un lápiz blanco y una goma de tinta.

Los materiales solubles en agua son mucho más fáciles de llevar de un lado a otro que los botes de pintura o tinta, ya que solo se necesita un poco de agua y un pincel para obtener resultados similares. Por lo tanto son fantásticos para darle una dimensión extra a un esbozo que hacemos al natural, al aire libre. A continuación presento un esbozo hecho con lápices solubles en agua dividido en las principales fases.

Paso 1

Dibujé la escena como lo hubiese hecho con cualquier otro lápiz, pero garantizando la aplicación de una buena cantidad de grafito. Como ocurre con cualquier otro boceto de un paisaje, las marcas son muy importantes, ya que incluso después de añadir agua las marcas seguirán siendo visibles.

Paso 2

Después humedecí la superficie con un pincel de acuarelas grueso y redondo (n°8). Decidí trabajar en secciones para que no hubiese problemas con la pintura. En primer lugar trabajé el horizonte y, cuando ya estaba seco, los setos de la parte derecha y el campo arado, siguiendo la dirección de los surcos.

Paso 3

Trabajé el árbol con la punta del pincel humedecido, dando golpecitos hasta crear la textura de follaje, y después proseguí con los setos para crear el mismo efecto. Pasé el pincel por toda la zona verde para repartir el tono.

Paso 4

Cuando ya estaba seco, utilicé el lápiz para añadir unas cuantas marcas que aportasen información sobre la textura en algunos puntos. Con una goma de tinta restablecí los surcos del campo y limpié algunas marcas que quedaban de lápiz. Repasé los bordes y completé así el dibujo.

UNA INVESTIGACIÓN MÁS MINUCIOSA

En el espacio limitado que tenemos en este libro he intentado mostrar una amplia gama de técnicas accesibles, algunas más comunes y otras que he ido diseñando a lo largo de los años, pero sin duda las hemos tenido que tratar de un modo superficial. Espero, como mínimo, que hayas comprendido mejor las posibilidades que te ofrecen los distintos materiales. Ahora te toca a ti llevar a cabo tus propios experimentos combinando técnicas y materiales, probando con distintos papeles, dibujando y pintando tanto con herramientas de dibujo como de pintura. Averigua lo que te funciona bien y lo que hace que tus dibujos cobren vida.

A media que vayas desarrollando tus habilidades y experiencia ten en cuenta que la técnica es siempre el medio para llegar a un fin y que en la madurez el trabajo artístico no es una finalidad en sí mismo. Deja que el tema de tus dibujos y tus intereses artísticos personales determinen tus métodos. A menudo, lo más sencillo es lo mejor.

A continuación te voy a indicar algunos caminos en los que podrías profundizar en tus trabajos.

Lleva tus dibujos a un terreno más expresivo. En el dibujo superior las marcas duras, oscuras y angulares del grafito (un grafito blando) complementan la expresión afligida. Abajo, con el mismo grafito he trasmitido un sentimiento de suavidad al difuminarlo con la yema del dedo.

Márcate como objetivo la simplicidad. A veces un dibujo resulta interesante por todo lo que no dice. Experimenta reduciendo los objetos al mínimo esencial, intentando trazar líneas con garbo o atrevimiento.

Dibuja siempre que puedas cualquier tema que te apetezca. Mientras estaba esperando a un amigo, hice este esbozo de un rincón de una calle con un bolígrafo en dos páginas de una libreta de bolsillo.

Trabajar en una escala mayor permite dibujar desde el hombro, un enfoque más físico que evita la rigidez y la agitación que pueden arrastrar los dibujos pequeños. Hay que tener la confianza suficiente como para dibujar sin unas marcas previas. El dibujo en carboncillo que se puede ver más arriba está hecho directamente en papel en solo diez minutos. Dibujé el estudio del desnudo que se observa más abajo con un pincel básico en solo diez minutos también. Ambos están realizados en tamaño A2.

Plantéate resolver problemas y restricciones temporales. Para cada uno de estos pequeños esbozos realizados en tamaño A4 (izquierda y arriba), solo tuve cinco minutos para captar la luz y la forma con tinta, agua y un ancho pincel.

Márcate como meta realizar disposiciones ambiciosas de naturaleza muerta con múltiples texturas, fuentes de luz y diferentes capas de profundidad. Incluye espejos, tejidos y formas angulares. La gran observación y diligencia que requieren estos temas harán que enseguida desarrolles tus capacidades, busques atajos e identifiques tus puntos fuertes y tendencias.

UN TRUCO ÚTIL

Para realizar dibujos en un tamaño mayor, vale la pena comprar rollos de papel de decorador porque sale más barato y es muy resistente.

ÍNDICE ALFABÉTICO